KU-014-040

Is órang-útan mise

Rugadh mé san fhoraois – áit álainn, glas. Tá cónaí orm féin agus mo mhamaí thuas sna crainn. Coinním greim ar mo mhamaí agus í ag luascadh ó chrann go crann.

coinnigh do ghreim

Fanann an babaí lena mhamaí ar feadh ocht mbliana.

Tosaíonn órang-útain ag dreapadh nuair a bhíonn siad trí bliana d'aois.

Is breá linn luascadh.

Bia don bhricfeasta

Is maith leis na hórang-útain torthaí a ithe, go háirithe an ceann mór seo – 'dúraíoch' a thugtar air. Itheann siad duilleoga, feithidí agus bláthanna chomh maith.

Ag dreapadh

Tá mé trí bliana d'aois. Tá mo chuid deartháireacha agus deirfiúracha ag múineadh dom conas crainn a dhreapadh liom féin. Ní maith liom imeacht rófhada ó mo Mhamaí.

Tá cosa agus lámha an-láidir ag an órang-útan.

Féach ormsa – tá mé ag dreapadh!

Fiacla atá go maith le tortha a ithe atá ag an órang-útan.

An raibh a fhios agat?

- Tá órang-útan fásta amháin chomh láidir le hochtar duine fásta.
- Bíonn lámha an órang-útain níos mó ná 2.5m ar leithead nuair a bhíonn siad sínte amach.
- Úsáideann órang-útan go leor uirlisí.

Saol na clainne

Fanann órang-útain lena mamaí go dtí go mbíonn siad deich mbliana d'aois. Imíonn siad ansin agus cónaíonn siad leo féin.

Is goraille mise

Tá cónaí orm féin agus mo mhuintir i bhforaois mhór. Tá mé ceithre mhí d'aois agus níl mé in ann siúl fós. Coinním greim ar mo mhamaí a fhad is a bhíonn sise ag cuardach greim le hithe.

Coinnigh greim!
Coinneoidh an goraille óg seo greim ar chóta fionnaidh a mamaí ar feadh cúig mhí. Ina dhiaidh sin, rachaidh sé ag marcaíocht ar a droim agus ar a guaillí.

Lá an ghoraille

Caitheann goraille an mhaidin agus an tráthnóna ag cuardach bia agus ag ithe. Caitheann siad lár an lae ina gcodladh nó ag glanadh cótaí fionnaidh a chéile.

Tá mé deich mí d'aois

Táim in ann siúl asam féin anois. Ach nuair a thagann tuirse orm, suas liom ar dhroim mo dhearthár. Caithim an chuid is mó den lá le mo chuid deartháireacha agus deirfiúracha.

Is maith leis an ngoraille imeacht a chodladh tamall i lár an lae.

Codladh sámh

Nuair a théann siad a chodladh, déanann goraillí nead le duilleoga agus maidí. Nuair a dhúisíonn siad, itheann siad na duilleoga – bíonn bricfeasta sa leaba acu!

Ligim féin agus mo mhuintir ár scíth le chéile.

 Giobún beag óg

Rugadh mé go hard sna crainn i bhforaois mhór báistí. Cónaím le mo mhamaí, mo dhaidí, agus mo chuid deartháireacha agus deirfiúracha. Caitheann mo mhuintir an chuid is mó den am go hard sna crainn.

Tosaíonn giobúin ag luascadh i measc na gcrann nuair a bhíonn siad bliain amháin d'aois.

An raibh a fhios agat?

- Codlaíonn giobúin agus iad ina suí aniar.
- Tá giobúin an-mhaith ag siúl ar an dá chois, díreach ar nós daoine.

Ag luascadh thart

Luascaim féin agus mo mhuintir ó chrann go crann go hard os cionn na talún. Tá lámha móra fada agam agus beirim greim láidir orthu agus mé ag luascadh.

Beireann giobúin ar ghéaga lena lámha agus a gcosa agus iad ag luascadh chrann go crann.

Tá mo dheartháir in ann luascadh tríd an

Ní bhíonn faitíos riamh orm go dtitfidh mé!

Tá giobún in ann léim 10m a dhéanamh idir dhá chrann.

ohforaois ar fad!

Abair amhrán

Tá a amhrán féin ag gach grúpa giobún – casann siad é gach lá, chun a rá le giobúin eile coinneáil amach uathu.

Babaí simpeansaí

Rugadh san fhoraois mé. Cónaím ann le mo mhuintir agus mo chairde. Bíonn neart simpeanna eile ann i gcónaí chun spraoi leo.

Ag fás agus ag foghlaim

Iompraíonn Mamaí an babaí beag go dtí go mbíonn sé láidir go leor le greim a choinneáil ar a cóta fionnaidh.

Tógann sé am an dreapadh a fhoghlaim.

Itheann an simpeansaí torthaí, feithidí, mil, bláthanna, duilleoga, cnónna agus ainmhithe beaga.

Ag grúiméireacht

Bíonn simpeansaithe i gcónaí ag grúiméireacht nó ag glanadh a chéile. Coinníonn sé glan iad agus cabhraíonn sé leo cairde a dhéanamh.

Caitheann an babaí a chuid ama ar fad, beagnach, lena mhamaí.

Ag fás agus ag foghlaim

Tá oiread le foghlaim agam sula mbím fásta suas! Múineann mo chuid deirfiúracha agus deartháireacha dom cén bia atá go deas le hithe. Taispeánann siad dom conas maidí agus uirlisí eile a úsáid chun teacht ar an mbia.

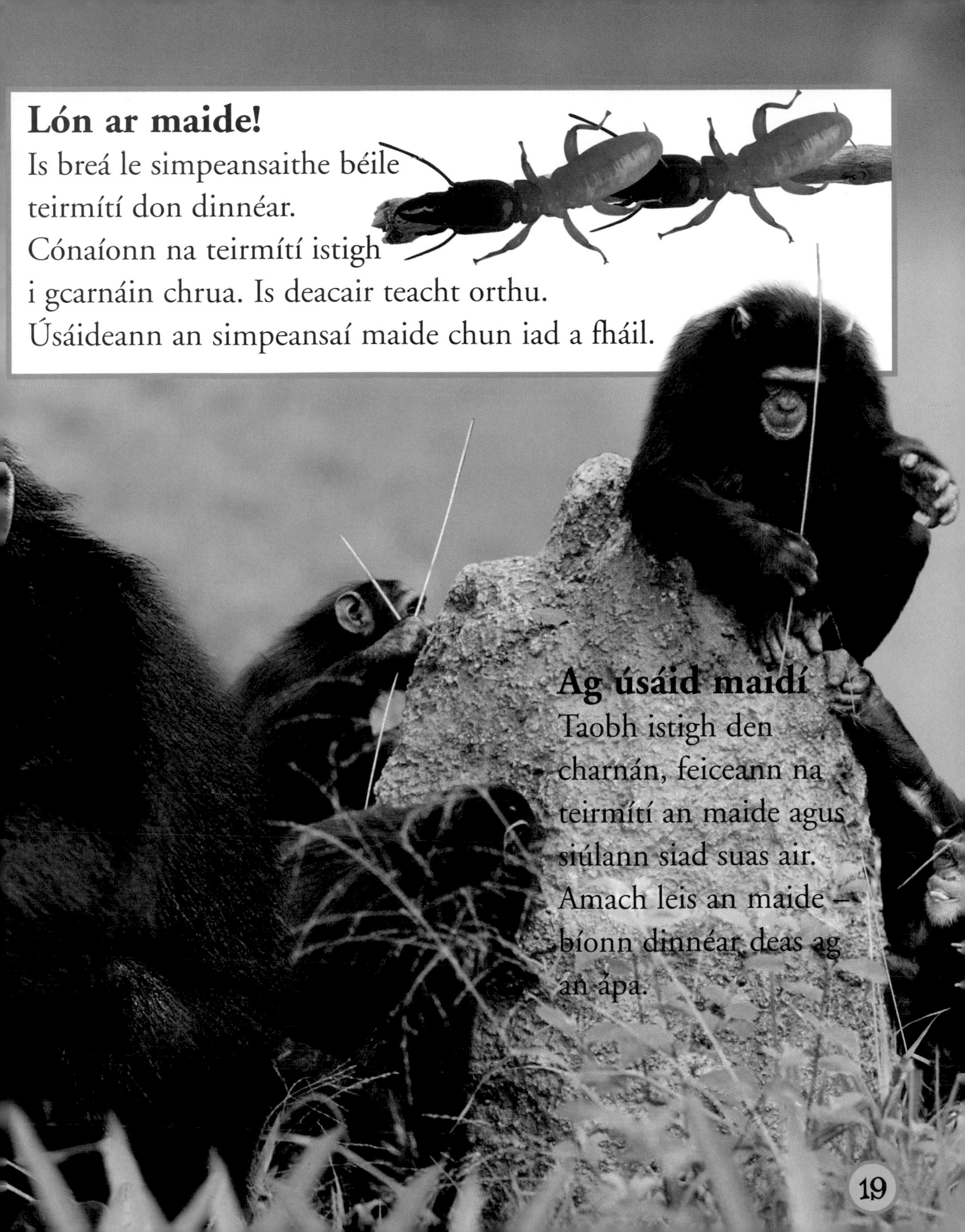

Lón ar maide!

Is breá le simpeansaithe béile teirmítí don dinnéar. Cónaíonn na teirmítí istigh i gcarnáin chrua. Is deacair teacht orthu. Úsáideann an simpeansaí maide chun iad a fháil.

Ag úsáid maidí

Taobh istigh den charnán, feiceann na teirmítí an maide agus siúlann siad suas air. Amach leis an maide – bíonn dinnéar deas ag an ápa.

Casann ciorcal na beatha timpeall agus timpeall

Anois tá a fhios agat conas a fhásaim ...

Slán anois – tar ar ais arís!
... ó órang-útan beag go hórang-útan fásta
... ó simpeansaí beag go simpeansaí fásta

Ápaí ar fud an domhain

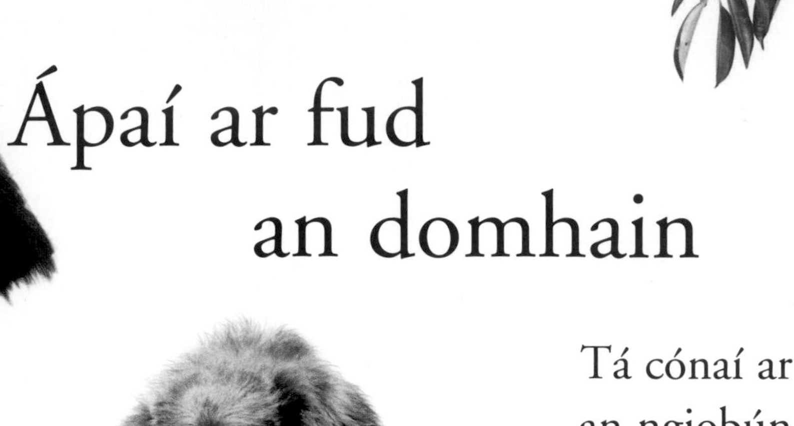

Tá cónaí ar an ngiobún Boirneoch ar oileán foraoiseach Bhoirneo

Cónaíonn ápaí Siamang i bhforaoisí báistí in oirdheisceart na hÁise.

Cónaíonn an goraille sléibhe go hard sna sléibhte i lár na hAfraice.

Tá cónaí ar an mionseampansaí san Afraic.

Cónaíonn ápaí éagsúla i bhforaoisí ar fud an domhain.

Cótaí buí fionnaidh atá ar an ngiobún cíorach buí-leicneach.

Cónaíonn an giobún aclaí ar bharr na gcrann.

Tá sé in am dul a luí.

Tá giobúin in ann luascadh ó chrann go crann ag 56 ciliméadar san uair.

Ní maith le simpeansaithe an t-uisce – níl siad in ann snámh.

Cónaíonn goraillí le chéile ina ngrúpaí móra – bíonn thart ar 20 goraille i ngach grúpa.

Ciallaíonn an t-ainm "órang-útan" fear na foraoise.

Foclóirín

Nead
Codlaíonn ápaí áirithe i nead. As duilleoga a bhíonn sí déanta.

Fionnadh
An ghruaig bhog a choinníonn ápa deas teolaí.

Grúiméireacht
Nuair a ghlanann ápa fionnadh ápa eile agus é a dhéanamh néata.

Uirlis
Rud a úsáidtear le jab speisialta a dhéanamh – maide nó cloch, cuir i gcás.

Foraois bháistí
Áit a bhfásann go leor crann – bíonn sé ag báisteach go minic ann.

Trúpa
Grúpa ainmhithe a chónaíonn le chéile. Cónaíonn simpeansaith ina dtrúpaí.

Creidiúintí

Ba mhaith leis an bhfoilsitheoir buíochas a ghlacadh leo seo a leanas faoina gcaoinchead a gcuid grianghraf a fhoilsiú:
(Eochair: u-uachtar; í-íochtar; l-lár; c-clé; d-deis; af-ar fad)
1 Alamy: Juniors Bildarchiv. 2-3 Ardea: Kenneth W. Fink. 2 Getty Images: David Allan Brandt l, Catherine Ledner ld. FLPA: Frans Lanting lc. 3 Alamy: Steve Bloom Images. 4 Getty Images: Heinrich van der Berg. 5 Getty Images: Steven Raymer í; Art Wolfe u 8-9 Getty Images: Tom Brakefield. 8 Ardea: John Cancalosi c. 10 Alamy: Martin Harvey 11 Alamy: Martin Harvey ud, l, NHPA lí 12 FLPA: Jurgen & Christine Sohns. 13 Ardea Londain: M. Watson. 14 FLPA: Terry Whittaker d; Getty Images: Manoj Shah íc, NHPA: Martin Harvey uc. 16-17 Corbis: Steven Bein l. 16 Photolibrary: Richard Packwood íc; Steve Bloom Images lc. 17 Photolibrary: Richard Packwood íc; Steve Bloom Images lc. 17 Corbis: Mary Ann McDonald íd; Gallo Images ul. 18-19 Getty Images: Digital Vision. 19 Steve Bloom Images d. 20-21 FLPA: Frans Lanting. 20 Alamy: Images of Africa Photobank ld. Ardea Londain: John Cancalosi: l; M. Watson líd, Corbis: William Manning l. 21 Corbis: Stan Osolinski ld; Lynne Renee lc. Getty Images: Paula Bronstein íc; Gallo Images uc; IPN stock: Catherine Ledner lcuaf; Photolibrary: Stan Osolinski lcí; Zefa: T. Allofs lc. 22-23 Alamy: Martin Harvey í 22 Alamy: Chris Fredriksson ud, David Moore lc. Steve Bloom Images: íc IPN stock: Catherine Ledner uc. 23 Alamy: Jack Cox-Travel Pics Pro ul. Photolibrary: ld. Steve Bloom Images: ud

Gach íomhá eile © Dorling Kindersley. Tuilleadh eolais: www.dkimages.com